DÉLIT DE FUITE
est le quarante-cinquième ouvrage
publié chez
Dramaturges Éditeurs

Dramaturges Éditeurs
4401, rue Parthenais
Montréal (Québec) H2H 2G6
Téléphones : (514) 527-7226 et (514) 849-9238
Télécopieur : (514) 527-0174
Courriel : info@dramaturges.qc.ca
Site internet : www.dramaturges.qc.ca
Yvan Bienvenue et Claude Champagne

Mise en pages : Claude Champagne
Correction des épreuves : Claude Champagne
Maquette de la couverture : Yvan Bienvenue
Illustration : Stéphane Poulin

Dramaturges Éditeurs bénéficie d'une subvention du Conseil des Arts du Canada.

Dépôt légal : deuxième trimestre 2002
Bibliothèque nationale du Québec
Bibliothèque nationale du Canada

ISBN 2-922182-44-4

Claude Champagne

DÉLIT DE FUITE

Dramaturges Éditeurs

AUSSI CHEZ DRAMATURGES ÉDITEURS

Une tache sur la lune, de Marie-Line Laplante
Les Zurbains, Collectif
Dits et inédits, de Yvan Bienvenue
Maître Chat, de Marie-Renée Charest
Game, de Yves Bélanger
La Raccourcie, de Jean-Rock Gaudreault
Le Mutant, de Raymond Villeneuve
Les Huit péchés capitaux, Collectif
Motel Hélène, de Serge Boucher
La Terre tourne rondement, de Marie-Line Laplante
Le défilé des canards dorés, de Hélène Mercier
Le bain des raines, de Olivier Choinière
Nocturne, de Pan Bouyoucas
Barbe-Bleue, de Isabelle Cauchy
Nuit de chasse, de Micheline Parent
La nuit où il s'est mis à chanter, de Claude Champagne
Couteau, de Isabelle Hubert (coédité avec les Éditions Lansman)
Le soir de la dernière, de Isabelle Doré
L'Humoriste, de Claude Champagne
Laguna Beach, de Raymond Villeneuve
Le lit de mort, de Yvan Bienvenue
24 poses, de Serge Boucher
Antarktikos, de David Young
Untempsdechien / Piégés de Alex Johnston / Pól Mag Uidhir
Code 99, de François Archambault
Les enfants d'Irène, de Claude Poissant
L'Odyssée d'après Homère, de Dominic Champagne et Alexis Martin
La Nostalgie du paradis, de François Archambault
Dits et Inédits 2, de Yvan Bienvenue
extasy_land.com, de Jean-Frédéric Messier
L'homme des tavernes, de Louis Champagne
Tsuru, d'Anne-Marie Théroux
Un éléphant dans le cœur, de Jean-Frédéric Messier
Cyber Jack, de Michel Monty
Stampede, de François Létourneau
L'Hôtel des horizons, de Reynald Robinson
Natures mortes, de Serge Boucher

MOT DE L'AUTEUR DU DÉLIT

Depuis quelques années, quand des gens me demandent ce que fais en ce moment, je leur réponds que je suis en vacances. Seul le travail vient à l'occasion perturber mes vacances. C'est ma philosophie de vie. Je sais, elle est loin d'être à la mode. On me sourit, mal à l'aise.

Mon père est mort en 1999, le soir de la générale de ma pièce *L'humoriste*. Mon père avait une compagnie d'agents de sécurité. C'était le genre d'homme qui employait les simples d'esprits, les légèrement handicapés et autres anti-performants selon notre société. Il les engageait parce qu'il disait que si lui ne les embauchait pas, personne ne le ferait. Mon père était ce genre d'homme. Aujourd'hui, il est disparu. Et des fois, j'ai l'impression, qu'il a emporté avec lui toute la générosité du monde.

Claude Champagne

La première représentation publique de *Délit de fuite* a eu lieu le 23 avril 2002, au Théâtre d'Aujourd'hui, à Montréal.

Distribution
Jean Paré : André Robitaille
Le mort et Charles : Stéphane Brulotte

Mise en scène : Fernand Rainville
Régie : Nadia Bélanger
Scénographie : Raymond Marius Boucher
Conception des costumes : Carmen Alie / Alie & Co
Éclairages : Éric Champoux
Musique originale : Michel Smith
Réalisation des images : Alain Chicoine / SLIK
Maquillage : François Cyr
Direction de production : Michel Granger
Assistante à la production : Catherine Desjardins-Jolin

Photo affiche : Michel Gagné
Graphiste : Simon Dupuis
Relation publique : Hélène Faubert
Fabrication du décor : SCÈNE ÉTHIQUE

Équipe de tournage SLIK
Réalisation : Alain Chicoine
Assistante à la réalisation : Mélanie Duranceau
Caméraman : Mario Branchini Caméraman sous l'eau : Jean Asselin
Assistants technicien : Hugo Roy, Frédérik Bernier, Félix-Antoine Pelletier
Monteur AVID off-line : Philippe Fafard
Monteur DS on-line : Louis-Philippe Rondeau

Remerciement : Espace Go

Une production Attitude B Attitude en codiffusion avec le Théâtre d'Aujourd'hui.

1

Noir. On entend la sonnette d'entrée. Pas de réponse. Temps. On sonne encore. Toujours rien. On entend frapper à la porte. Temps. On frappe encore. Temps. Bruit de clés derrière la porte. On entend la serrure se déverrouiller, la porte s'ouvrir. Temps.

JEAN, *sur le seuil de la porte*

Y a quelqu'un? *(Pas de réponse, temps. Plus fort.)* Y a quelqu'un? *(Court temps. Il appuie sur la sonnette d'entrée. Temps.)* You-hou? *(Temps. À tâtons, il cherche un interrupteur sur le mur près de lui. N'en trouvant pas, il fait quelques pas. Il se cogne contre une petite table, une lampe en tombe.)* Ayoye donc! Fait donc ben noir icitte aussi! *(Il ramasse la lampe tombée à ses pieds, la remet sur la table et l'allume. Il est dans un salon.)* Y a quelqu'un? *(Il avance un peu, cherche du regard. Il avance et cherche un peu partout, inquiet. Il revient au salon, s'assoit sur le divan. Il joue avec le trousseau de clés, le fixant. Il soupire.)* Qu'est-ce que j'ai fait...

Temps. Son téléphone cellulaire sonne, il sursaute. Il le prend, le regarde, indécis, inquiet. Il laisse sonner. À la dernière sonnerie, l'ampoule de la lampe saute. Noir.

2

Dans la pénombre, il est assis en boule par terre.

JEAN

J'ai toujours eu peur du noir. Sauf dans le garde-robe. Quand le monde devenait trop grand, je me cachais, je me réfugiais dans plus petit. À l'abri des tempêtes du monde. *(On entend faiblement le souffle du vent.)* Comme j'ai toujours rêvé aussi d'avoir un toit en tôle. Dans une cabane. Entendre le son de la pluie, la nuit. Dormir au son du ciel qui tombe. Protégé.

On entend le son de la pluie s'abattant sur un toit de tôle un moment. Le son se transforme en sonnerie de téléphone cellulaire.

3

Jean allume une lampe et répond au téléphone cellulaire.

JEAN, *n'ayant visiblement pas le goût de lui parler...*
Oui, allô? (...) Oui, je suis encore au garage. (...) Oui, oui, je le sais. Je... (...) Oui, temps double en urgence, c'est ça. (...) Je peux pas en dire plus pour le moment. (...) Non, c'est impossible pour le moment. (...) Je peux vraiment pas évaluer. (...) Écoute... Ces gars-là connaissent leur affaire plus que toi pis moi mis ensemble, tu penses pas! (...) Dès que je peux, je te rappelle. (...) Je le sais, je le sais. (...) Bon. Regarde. Des fois, dans la vie, y a des impondérables qui font qu'on peut pas. C'est tout. Réfléchis à ce que ça veut dire pis quand tu le sauras, rappelle-moi, ok. Non. Rappelle-moi pas. Écris-moi ça en une page à simple interligne. Pis prends ton temps, ok. Bye. *(Pour lui-même.)* Les secrétaires... *(Près de lui, il voit un petit bar et des bouteilles d'alcool. Il en ouvre une.)* Ouan, ça c'est une bonne idée. *(Il se verse un grand verre et se regarde dans le miroir. Portant un toast.)* Aux imbéciles! *(Il boit. Une silhouette fantomatique – celle de son ami Charles – apparaît dans le miroir. Jean ne l'a pas encore aperçue. Temps.)* Ouan... *(Fixant le verre.)* C'est comme tu disais, hein mon Charles! Ton père voulait avoir l'air *open*, y a engagé un gars comme réceptionniste. *(Imitant son patron.)* «L'image, c'est bon pour l'image. Ça fait différent, ça nous distingue. Ça fait que les gens sont surpris quand ils nous appellent.

Les surprendre : tout est là.» *(Pause. Fixant son verre.)* Estie que tu t'en crissais de toute ça, toi, hein. *(Pause. Imitant son ami Charles.)* «Quand t'es réceptionniste, que tu sois un gars ou une fille, tu poses pas de questions, tu déranges pas, tu te fais tout petit, tu prends les messages. Pis surtout... tu fermes ta gueule.» *(Il parle à son téléphone cellulaire.)* «Compris?» *(Appuyant ses mots.)* «Tu-fermes-ta-gueul-e! Pis quand je te dis Je le sais pas, ça veut dire : achale-moi pas. C'est-tu clair!» *(Il voit la silhouette fantomatique de Charles dans le miroir, il est pris d'une peur soudaine. Tentant de se raisonner, il regarde son verre,)* L'alcool et les souvenirs...

Au loin, on entend le son d'une sirène. Paniqué, Jean éteint la lampe et s'accroupit. Nerveux, Jean rit un peu.

JEAN

Panique pas... ok, panique pas. Personne le sait, personne peut le savoir, y avait pas personne, personne t'a vu.

4

Le son de la sirène se transforme, s'y ajoute des bruits de fêtes foraines. Jean se relève et regarde dans le miroir. Il y voit une grosse femme à barbe dans une robe à pois.

JEAN

Mes 3 grands épais de cousins viennent de me planter là, en plein milieu du palais des miroirs. C'est petit, 8 ans. Ils rient. Je panique. J'ai envie de crier, de brailler. C'est un manège stupide. Tout le monde a l'air de trouver ça facile. Y se rendent pas compte que je me dis. Je devrais pas avoir peur. Mais chus pogné au milieu de... partout... une espèce de labyrinthe d'images de moi... toutes déformées. Je vois ma face étirée en long qui a l'air de crier, de crier après je sais pas quoi... en silence... dans les bruits du grand parc d'amusement. J'ai peur de me perdre, de pas être capable de m'en sortir... pis... J'ai juste envie de fesser, de fesser pis de pèter toutes les maudits miroirs déformants! Tout le monde a l'air de pouvoir trouver le bon chemin à travers les vraies et les fausses images. Y se rendent pas compte que je me dis. Y se rendent pas compte...

On voit alors la grosse femme à barbe émettre un rire très sonore sur le son d'une sirène qui s'éloigne.

5

JEAN

Panique pas...

Il va fermer les stores de toutes les fenêtres. (Projection en ombre des lattes des stores sur scène.) À la lueur de son briquet, il cherche quelque chose. Il allume la télévision, met le volume assez bas. (La télévision est réelle cette fois, on ne voit pas l'image, qu'une lumière blafarde et vacillante sur le visage de Jean.)

JEAN

Juste une p'tite lumière, pis ça va être correct.

Il entoure la télévision de coussins afin qu'elle ne diffuse pas trop de lumière. On entend le journal télévisé.

TÉLÉVISION, *voix de femme*

Alors du beau temps en perspective pour cette longue fin de semaine de vacances. Merci Jocelyne. Maintenant, revenons sur cette histoire d'une jeune secrétaire qui pourrait déposer une plainte d'agression sexuelle contre le ministre de la justice.

JEAN

Hostie...

TÉLÉVISION

Nous rejoignons notre correspondant au Palais de justice.

JEAN

C'est sorti...

TÉLÉVISION, *voix de femme*

Bonjour Normand. Est-ce qu'il y a eu dépôt de plainte finalement aujourd'hui?

TÉLÉVISION, *voix d'homme*

Non, pour l'instant toutes sortes de rumeurs courent, plus horribles les unes que les autres. Il ne sert à rien de les commenter mais...

JEAN

C'est même pas pour agression! C'est juste pour harcèlement.

TÉLÉVISION, *voix de femme*

Avez-vous pu recueillir des commentaires du ministre?

TÉLÉVISION, *voix d'homme*

Non, pas encore. Aucun communiqué n'est sorti du bureau du ministre. Tout ce que nous savons nous parvient par bribes. Et je le répète, à ce stade, on ne peut parler que de rumeurs.

Son téléphone cellulaire sonne. Il éteint le son de la télévision.

JEAN

Heille, j'ai-tu l'air d'un numéro qu'on peut appeler n'importe quand, moi! (...) Oui, monsieur le ministre... (...) Non, désolé. (...) Y a pas de problème. J'allais vous appeler. J'ai juste eu un léger contretemps. (...) Oui, monsieur. Je vais être là demain. Sans faute. Inquiétez-vous pas, on va vous sortir de là. On a vu pire. (...) Pas vous, monsieur. Je veux dire... Y a aucune situation qui nous effraie. On est des gagnants, monsieur. Pis c'est ça que le monde vont retenir. (...) Oui, inquiétez-vous pas, je travaille là-dessus. (...) Oui, le plus tôt possible. (...) La conférence de presse va être parfaite.

Schlak, schlak, flashes de caméras, son amplifié de micro. Jouant, au bord des larmes.

JEAN

C'est une épreuve difficile que Dieu m'envoie. Mais moi, c'est rien. Je pense surtout à mes proches, à ma famille et surtout à mes enfants, mes 2 grandes filles. La pression qu'elles ont eue à vivre, ce que les médias leur ont fait subir. Ce n'est pas insupportable, c'est inqualifiable. Nous allons poursuivre tous ceux qui ont osé proférer de telles calomnies. L'honneur et le bonheur de ma famille passent avant tout. *(Exagérant.)* Je suis grand, je suis le meilleur pis y en a pas un hostie icitte qui va sortir cette histoire-là sans penser une seconde qu'y perdra pas sa job. *(Revenant au ton solennel.)* Pour l'instant, je m'accorde un temps de réflexion avec ceux que j'aime. Je n'envisage pas de démissionner. Mais... Si ma famille me le demande, j'agirai alors dans les meilleurs intérêts des miens. *(Sur lui.)* Pas beau, ça! *(Revenant au téléphone.)* Monsieur... Vous êtes entre bonnes mains. (...) Oui, monsieur, on se voit demain. (...) Oui, monsieur. Un plan infaillible. *(Il raccroche.)* Des fois, je m'aime tellement que je me marierais! *(Souriant.)* Show me the money, show me the money! *(Il rit un peu.)* Je pense que je travaille trop.

Des phares aveuglants s'allument d'un coup. On entend le bruit d'une auto qui freine. Jean se lance par terre.

JEAN

NON!

6

JEAN, *la tête sous un coussin*

J'ai 6 ans. Je tiens la main de mon meilleur ami. On fait exprès pour envoyer notre ballon de l'autre côté de la rue. Juste pour aller le chercher. Juste pour traverser. Se rendre de l'autre côté du monde. Sa mère est dans la fenêtre. Elle nous surveille. Tout se passe très vite au ralenti. Mon ami s'élance vers l'autre côté. Une auto freine. Le cri des pneus se mélange avec la bouche grande ouverte de sa mère de l'autre côté de la fenêtre. *(Pause.)* Il va bien. L'auto a freiné juste à temps je pense. Pas de sang ni rien en tout cas. Juste un coup assez fort pour le renverser. Je le vois étendu sous le début de l'auto, tout près du pneu avant. *(Enlevant sa tête de sous le coussin.)* J'adorais traverser la rue avec lui. Pour rien. Vaincre les voitures de vitesse. La traverser comme si elle était un boulevard, une autoroute. On était les maîtres de la rue. C'est ça qui a toujours été important. Être celui qui se ferait pas écraser.

En projection, on voit un ballon flotter dans les airs.

7

JEAN, *se levant d'un bond*

Mon char, estie!

Il sort en courant. La porte du garage s'ouvre. On entend démarrer une voiture et avancer. Le moteur stoppe. La porte du garage se referme. Jean entre par une autre porte (celle qui donne sur le garage) avec son ordinateur portatif.

JEAN

Estie que je peux être cave des fois. *(Temps.)* Bon. Réfléchissons. *(Il ouvre son portable.)* D'abord le ministre, ensuite moi. *(Il tape.)* Idées. *(Temps.)* Idées... *(Temps.)* Idées, idées... *(Il se prend la tête. Temps. Il soupire.)* Bon. D'abord moi, ensuite... *(Temps.)* Pense, Jean, pense estie! *(Pause. Il tape.)* Ok. 1 : t'es pas chez vous. 2 : y a sûrement quelqu'un qui va arriver. 3. Non. 2a : peut-être que le gars vit tout seul. 2b : comment savoir? *(Fermant brusquement son portable.)* C'tu fatigant ça! *(De sa veste il sort un mini magnétophone. Il le met en marche. Mais rien ne lui vient à l'esprit. Il le ferme. Regarde sa montre.)* 10 heures et 23. *(Il regarde l'heure sur le vidéo.)* 10 heures et 28. *(Il regarde l'horloge sur le mur.)* 10 heures et 24. *(Il change les postes de la télé pour trouver l'heure.)* Voyons... y donnent l'heure eux autres d'habitude. C'tu fatigant ça. Pas moyen de savoir la bonne heure. *(Il se lève, va vers la cuisine.)*

10 heures et 26 sur le micro-onde pis 10 heures et 31 sur le poêle. Quel sorte de monde que c'est ça! Comment c'tu veux programmer ton vidéo à bonne heure pour enregistrer si t'as pas la même heure nulle part dans maison! *(Il va vers la chambre à coucher et revient avec un cadran.)* 10 heures et 32! Peut ben rester en banlieue. *(L'horloge grand-père du salon sonne un coup marquant la demie.)* Christie! C't'un complot! *(Il prend son cellulaire.)* Oui, allô. (...) Non, pas encore. (...) Quelle heure que t'as, toi? (...) Je te demande l'heure, c'est toute. C'est pas compliqué ça me semble! (...) Pas environ! Exactement! Sur ta montre, y est quelle heure? (...) 10 heures 29... Pis sur ton téléphone? (...) Même chose. Bon. (...) Comment ça vient juste de changer! T'as la bonne heure ou t'as pas la bonne heure! (...) Tu *times* pas les 2 ensemble? (...) Comment qu'est-ce que ça peut ben faire! Christie, va-tu falloir que j'appelle à Greenwich pour savoir la bonne heure! Y a pas juste les minutes dans vie, y a les secondes aussi. C'est important les secondes. Pis les dixièmes, pis les centièmes, pis les millièmes de seconde! Le champion du 100 mètres, y court pas à peu près en 9-10 secondes, sacrament! Sais-tu ce que ça peut représenter un dixième de seconde dans la vie de ces gars-là? Des millions, tabarnak, des millions! Faque écœure-moi pas avec tes à peu près environ, ciboire! (...) Oui, ça va bien. (...) Laisse faire, tu comprendrais pas. (...) T'as jamais passé proche de te faire frapper pis après tu te dis : ouf, une seconde de plus pis... Être à la bonne place... au mauvais moment... Une seconde... entre se faire frapper pis juste passer proche! On parle de la vie d'un homme. Au complet! Changé pour juste 1 dixième de seconde. La différence entre la vie pis la mort. Comprends-tu ça! (...) Je veux juste savoir l'heure, c'est toute! L'heure! Pas juste l'heure : les minutes, les secondes, toute la patente au complet, exactement, précisément. Tu vois pas dans quel estie de monde qu'on vit, toi? On est toute là à se donner des rendez-vous à telle heure, pis y en a pas un qui a la même heure! Comment c'tu veux qu'on se comprenne? Le Big Bang, tabarnak : c'est arrivé à quelle heure! Personne le sait!

Le temps existait pas, le temps a commencé là. (...) Attends! *(Pause.)* Les lignes en attente... Bip, bip «attends, j'ai un autre appel.» Les limbes... *(Pause.)* Fuck. *(Il raccroche.)* Ça prend de l'ordre en queque part. Sur quoi je peux me fier? *(Il prend son cellulaire.)* Les estie de machine. Je veux parler à quelqu'un! (...) *Say french*... (...) Je le sais pas dans quelle ville! (...) Ça doit pas. (...) Le nom, je le sais pas. L'heure, c'est ça je veux savoir. Où c'est qu'y faut que j'appelle pour avoir l'heure enregistrée? (...) Bon! Je savais ben que y avait quelqu'un en arrière de c'te machine-là. (...) Je veux juste savoir l'heure, madame. (...) Comment vous déranger juste pour ça! On paye pour ça, le 411. Le 411, c'est pour des renseignements, non? (...) Non, je veux pas que vous me disiez l'heure. (...) Je veux savoir l'heure. (...) Heille, chose, chus pas cave. (...) C'est ça! Je veux avoir le numéro de l'heure enregistrée. C'est simple, ça. (...) Non, dites-moi pas l'heure! Je veux pas savoir votre heure. Vous avez pas la bonne, c'est sûr. (...) Non! *(Il soupire.)* Madame... Ici, là... y a à peu près 23 sortes d'heures dans maison. Avec la vôtre, ça en fait 24. Pensez-vous que j'ai besoin d'avoir 24 heures différentes? (...) Pas les heures de la journée. (...) Non, c'est pas un tour au téléphone. (...) Coudonc, l'avez-vous le numéro de l'heure enregistrée ou pas? (...) Ça existe pus! Comment ça existe pus? Êtes-vous sûre? (...) L'horloge parlante, ouan ça doit être ça. (...) Fédéral? Je suppose. (...) Me transférer? Ok. (...) Oui, bonjour, j'aimerais savoir le numéro de l'heure enregistrée. (...) L'horloge parlante, oui. (...) Au fédéral? C'est pas le numéro de la téléphoniste du fédéral ça? (...) Je sais pas, c'est Bell qui m'a transféré à votre numéro. (...) Minute, j'ai pas de crayon. *(Pause.)* Hostie... a m'a passé la machine. J'ai pas de crayon! Heille! J'ai pas de crayon! *(Pause. Il raccroche.)* Penses-tu je vas payer 50 cennes... Une chance que j'ai une bonne mémoire pour les chiffres. *(En composant, il prend sa montre.)* Je vas ben finir par l'avoir. (...) Oui, bonjour. J'aimerais savoir si ça existe encore le service de l'horloge parlante? (...) Oui. (...) Ben avant tu pouvais appeler pis ça te donnait l'heure, ça parlait. (...) Oui, oui, j'attends. *(Temps.)* Oui. Je vais attendre. *(Temps.)* Oui. (...) À Ottawa? Y a pas un numéro 1-800 pour ça? (...) Minute, je vas aller chercher un crayon. *(Pause.)* Oui, c'est quoi. (...) www.nrc.ca Barre oblique. I, n, comme normand, m, comme maman et s comme... salut! *(Il raccroche.)* Christie, c'est ben compliqué savoir l'heure. *(Il ouvre son portable. Branche un fil dans la prise téléphonique.)* Site web, site web...

Derrière lui, s'affiche en projection le site web en question. Des pages défilent à mesure qu'il clique. Il arrive à la page de l'heure sur le web. 2 : 36 : 24 est indiqué en vert lime.

JEAN

Comment 2 heures 36! Ah... Faut soustraire. Heure avancée de l'Est. Moins 4. 10 heures 36... 24 secondes. *(Pause. Il recharge la page. Ça indique 2 : 36 : 49.)* C'est ben niaiseux! Ok, d'abord! Je vas le faire l'interurbain. *(Pendant qu'il compose, il clique, d'autres pages s'affichent, la plupart en anglais. On entend :)*

VOIX OFF, *en anglais*

NRC. Eastern day light. 22 hours, 37 minutes and 10 seconds. Bip.
NRC. Eastern day light. 22 hours, 37 minutes and 20 seconds. Bip.
NRC. Eastern day light. 22 hours 37 minutes and 30 seconds. Bip.
NRC. Eastern day light. 22 hours, 37 minutes and 40 seconds. Bip.
NRC. Eastern day light. 22 hours, 37 minutes and 50 seconds.

Jean ferme les yeux, bercé par la voix enregistrée. On entend un long bip prolongé, comme le son des moniteurs cardiaques.

8

Jean se réveille en sursaut, le visage et les cheveux trempés de sueur. Il regarde sa montre qui brille dans le noir.

JEAN

4 heures du matin! Fuck. Où c'est que chus, moi là?... *(Regarde autour.)* Ah oui, c'est vrai... *(Tente de bien se réveiller en se frottant le visage.)* Bon. *(Pause. Regarde autour.)* Hostie que ça me fait freaker d'être icitte. 4 heures... *(Il tend l'oreille.)* Y a pas de bruit... *(Il se lève doucement, marche sans faire de bruit. À l'aide de la faible lumière de sa montre, il avance à tâtons. Il cherche à savoir s'il y a quelqu'un. Revient au salon. Il soupire.)* Bon... Toujours personne.

Il voit un répondeur, s'en approche. L'indicateur de message clignote. Se demande s'il devrait. Il appuie sur le bouton.

RÉPONDEUR

Bip... *(Voix de femme, bruit de restaurant.)* Allô... Je sais qu'on s'était dit qu'on s'appellerait pas... Je sais toujours pas quoi te dire... Je pense... En tout cas... J'espère que tu vas bien. Moi... Je sais pas... Je dis n'importe quoi. Je sais pas si c'est une bonne idée pour lundi. *(Bip... Même voix de femme.)* S'cuse, ç'a racrroché. En tout cas. Ben... C'est ça. Je pense à toi. Bye. *(Bip...)*

JEAN

Que c'est ça...

Temps. Il saisit le téléphone devant lui, puis raccroche. Il décide plutôt de se servir de son cellulaire.

JEAN, *après plusieurs sonneries*

Suzanne? (...) Tu dormais? (...) Non, attends! (...) Je le sais. (...) Euh... As-tu... C'est juste que... ben... chus pas chez nous pis... je viens d'entendre ta voix sur un répondeur. (...) Pis? Pis, ben... c'est ça. (...) C'est quelqu'un que tu connais pas. (...) Ouan, c'est vrai, ça doit pas être toi d'abord, hein. (...) Sur la rive sud. (...) Attends! (...) Ben... Penses-tu encore à moi... des fois? (...) Je t'ai rien faite, c'est toi qui... (...) Ben c'est ça... (...) Ben oui, c'est ça, je t'appelais juste parce que j'avais envie de t'envoyer chier à 4 heures du matin. Salut! *(Il raccroche. Entre les dents.)* Estie de crisse de...

Il s'assoit, soupire. Il allume la télévision, syntonise le canal des nouvelles continues, LCN. On entend l'indicatif musical. L'image rampe lentement vers lui.

TÉLÉVISION

Maintenant chez nous, c'est toujours cette affaire de mœurs au sujet du ministre Lajoie qui fait les manchettes. On attend toujours une déclaration du ministre à ce sujet. Plus tard au courant de la journée, nous aurons des images de l'entrevue exclusive réalisée avec l'ancienne secrétaire du ministre qui n'a pas encore décidé de porter plainte. Elle nous expliquera pourquoi. Les sports maintenant avec...

En sourdine, on entend le bulletin des sports à la télévision.

JEAN

Estie... A pas décidé si a va porter plainte mais a l'a ben le goût de passer à tévé pareil par exemple! Tabarnak de câlisse, qu'est-cé qu'y ont toute à tant vouloir passer à tévé? *(Nerveux, il fait les cent pas en parlant.)* Là, la crisse, a va faire le tour de toutes les esties d'émissions de tévé où ce que ça placote de n'importe quoi! *(Jouant, il s'assoit une jambe croisée, imitant la secrétaire en question.)* Oui, Claire, c'est difficile. Ça a toujours été difficile. Surtout pour nous les femmes. Mesdames, vous savez de quoi je parle. J'espère que mon témoignage va aider toutes celles qui n'ont pas encore osé parler. Je le fais aujourd'hui au nom de toutes celles qui ont peur, dans le silence. *(Croisant l'autre jambe, une autre émission.)* Oui, Liza, je sais. C'est grave ce que je dis. Je crois pas que la justice aurait pu faire quoi que ce soit. Une femme seule contre un représentant du gouvernemt, je faisais pas le poids. Mais j'espère que mon passage dans les médias aura un effet bénéfique. *(Croisant l'autre jambe, une autre émission.)* Oui, Louise, je crois que mon livre est bouleversant. On apprend plein de choses. Et puis les recettes à la fin, c'était pour moi une façon de m'en sortir. *(Croisant l'autre jambe.)* Oui, Marc, ma nouvelle émission de cuisine sera faite de recettes de bonheur aussi. *(Il se lève et chante.)* «Tu es ma star d'un soir, ma vedette à moi! Tu es ma star d'un soir, tu peux dire n'importe quoi! Tu es ma star à-à-à moi-oi-oi-oi-oi!» *(Temps.)* Tu veux passer à tévé... Tu vas voir que tu vas passer à tévé, on va te voir partout! Tellement que tu vas te faire faire une chirurgie plastique pour changer de face! Tu feras pas pitié, tu vas faire ben pitié! Tout le monde va rire de toi. C'est pour folle que tu vas passer, au mieux pour instable, au pire pour menteuse, manipulatrice. Je vas fouiller dans ta vie, je vas sortir toute tes anciens chums, y vont venir dire au monde comment tu les as toute abandonnés... par méchanceté pure. Je vas trouver des photos d'affaires fuckées que tu savais même pas que t'avais déjà faites. Des psychologues vont se prononcer sur ton geste et l'influence néfaste que t'as sur tes enfants. Toute les humoristes vont avoir une bitcherie à dire sur toi. Crains pas, tu vas être connue. Je connais ma job.

TÉLÉVISION
Maintenant Michèle, une drôle d'affaire a tenu les policiers de Laval occupés cette nuit de poisson d'avril?

– Oui, Paul. On ne sait trop quoi en penser. C'est une Madame Thériault qui aurait été témoin d'un délit de fuite. Selon Madame Thériault, le chauffard aurait pris la fuite avec le corps de sa victime. Rien de moins. Tout ce que les policiers ont retrouvé est un soulier sur la route, taché de sang il faut dire.

Des phares aveuglants illuminent Jean.

JEAN
Est-ce que Dieu existe vraiment? La grande lumière au bout du tunnel que tout le monde voit : ce serait pas un train? T'sais... Juste pour être ben sûr que t'es mort. *(Pause.)* Des chercheurs disent que la fameuse grande lumière ce serait, en fait, juste une hallucination. Une hallucination! Tout le monde voit la même estie de lumière depuis toujours pis là y nous disent qu'on est toute gelé s'a même dope! *(Pause.)* Y ont faite des expériences avec des sujets drogués. Y les isolaient, les privaient de toutes stimulations extérieures, pendant un bon bout de temps. Tout seul dans le noir dans une p'tite chambre capitonée... pis ben gelés. Tous les sujets ont dessiné le même type de tunnel avec la lumière au boute. *(Pause.)* D'autres ont fait des expériences avec des astronautes à l'entraînement. Y font spinner les gars dans une espèce de machine pour recréer l'état d'apesanteur. Ça tourne là, ç'a pas d'allure. Vite. Les astronautes tombaient dans une espèce d'état second. Y voyaient eux autres aussi l'espèce de lumière. *(Pause.)* Y en a qui disent que c'est pas la mort qu'on voit quand on voit la grande lumière au bout du tunnel. Ce

serait notre naissance. *(Pause.)* Des fois... moi, je pense que la lumière... c'est le spot du projecteur. T'sais... le fameux film de notre vie.

9

En projection derrière lui, défile le décompte 9, 8, 7, etc. qu'on voit au début des films. On entend : «Action!» Une série de titres se succèdent en blanc sur fond noir. «Ma vie, my life» ; «Les meilleurs moments, The best of»; «A success story, une histoire à succès». Sur scène, Jean est assis dans un fauteuil, veste de laine, pantoufles aux pieds et pipe à la main. Il raconte. (À chacune de ses interventions, on voit une photo de ce qu'il décrit.)

JEAN

Comme il s'agit d'un projet de film québécois... donc à petit budget, nous n'avons que des diapositives pour l'instant. Mais le financement va bon train. *(Photo.)* Jean est né un lundi matin, à 9 heures pile. Preuve qu'il était fait pour travailler dans un bureau. Il vient d'une famille moyenne, ni riche ni pauvre. Ordinaire. *(Photo de famille.)* Il a une sœur, plus jeune, malade, handicapée. Ses parents, pas très instruits mais avec du cœur, se sont beaucoup occupés de leur fille malade; au détriment un peu de leur fils. *(Photo.)* Pour attirer l'attention de ses parents, il s'est mis à viser l'excellence. Lui, il serait parfait; contrairement à sa sœur. Tout jeune, il disait qu'un jour, plein d'espoir, il ferait beaucoup d'argent pour guérir sa sœur. Ses parents se sont esclaffés. Ils ne le croyaient pas capable de réussir. *(Photo.)* Plus tard, bizarrement... il ne voulait plus devenir riche pour aider sa famille. Son but avait changé. Il voulait devenir indépendant de fortune pour les faire chier. Il rêvait du jour où ses parents se retrouveraient dans le besoin. De ce jour où ils viendraient à genoux lui quémander son aide... Et là, il leur dirait : «Je vas y penser...» Mais, comme dans les rêves, ce n'est jamais arrivé. *(Photo.)* À dix-huit ans, il quitte le foyer familial. Il fait des études à ses frais, prêts et bourses. Aux yeux des autres, il est un jeune homme en voie de devenir un «self made man», vers la fortune, le pouvoir et la réussite. *(Photo.)* Il est tombé en amour. Une fois. Suzanne... Celle avec qui il aurait voulu avoir des enfants, la femme de sa vie. Il ne s'est jamais remis de cet échec amoureux. *(Photo.)* Depuis, il a eu des aventures passagères, sans attaches. Il n'hésite pas à se payer des putes de temps en temps. C'est plus rapide et moins cher finalement... *(Photo.)* Quand il drague, c'est pour le plaisir de la conquête, de la victoire. Il est prêt à n'importe quels mensonges pour avoir ce qu'il veut. *(Pause.)* Mais au fond... la seule chose qu'on doit se dire c'est : est-ce que notre vie a été assez intéressante pour que du monde ait le goût d'en faire un film? *(Courte pause.)* Non?

On voit une photo de Jean qui brûle sous la lampe du projecteur.

10

TÉLÉVISION

Vous dites que le chauffard aurait pris la fuite avec le corps de sa victime? Hé bien.

– Mais comme je vous dis, la témoin de cet incident, Madame Thériault, serait une habituée des fausses alertes. S'il devait y avoir des développements, je vous tiendrai au courant.

Jean ferme la télévision. Il soupire. Fantomatique. Le Mort, taché de sang, entre par la porte d'entrée. Sortant une revue d'un sac de plastique, il la jette négligemment sur Jean, assis sur le divan. Il tient un litre de lait dans le sac. Le Mort va à la cuisine et revient avec des biscuits et un verre de lait. Il écoute ses messages sur le répondeur.

RÉPONDEUR

Bip... *(Voix de femme, bruit de restaurant.)* Allô... Je sais qu'on s'était dit qu'on s'appellerait pas...

Le Mort interrompt le répondeur. Il allume le téléviseur, syntonise les nouvelles du sport, ouvre son sac de biscuits et s'assoit sur le divan, à côté de Jean. Le Mort prend la revue, se lève et va aux toilettes.

JEAN

Une vie ben ordinaire. Une vie. Bang de même. C'est l'histoire d'un gars qui prenait une marche jusqu'au dépanneur pour aller s'acheter du lait. Une rangée de biscuits, un gros verre de lait devant un vieux film de fin de soirée. Les nouvelles du sport juste avant. Les Canadiens ont gagné. Le bonheur. Rien d'autre. *(Il prend un biscuit et le trempe dans le verre de lait.)* Combien de temps faut laisser tremper le biscuit? Y a des expertises comme ça. Y se donne pas de cours là-dessus. Personne peut te montrer ça non plus. Ça dépend. Ça dépend de la sorte de biscuit. Ça dépend aussi si t'aimes ça juste un peu trempé ou ben mouillé. Un peu dur avec le goût du lait ou ben mou plein de lait. Ça dépend. Mais une fois que tu sais ce que tu veux, faut juste que tu t'exerces. Pis encore là, c'est pas une science exacte. Si t'es le genre biscuit ben mouillé, ben mou plein de lait... faut que tu saches que t'es quelqu'un qui aime prendre des risques. Au début, tu sais pas trop, tu fais attention. Tu laisses tremper juste queques secondes. T'aimes le goût du lait pis t'aimes surtout le goût du mou; le biscuit s'avale tout seul, d'une shot. Le goût de la facilité. La vie a l'air simple quand t'es concentré. *(Pause.)* Mais t'es quelqu'un qui aime le risque. Faut toujours que t'en ailles plus, faut toujours que tu pousses ta luck plus loin. Juste pour voir. *(Il retire le biscuit du verre. Mais il ne peut en retirer qu'un petit bout.)* Des fois... c'est toute ce qui te reste. Juste un p'tit bout. T'es allé trop loin. *(Pause.)* La seule chose qui te reste à faire, c'est de décider qu'est-ce que tu vas faire avec ton verre de lait. Le jeter? Ou le boire d'une shot? *(Pause.)* T'es un gambler.

Il avale le lait d'un trait, s'étouffe et recrache. La porte des toilettes s'ouvre.

LE MORT

Pourquoi t'as faite ça?

JEAN

C'est pas de ma faute! C'est pas de ma faute!

Le Mort braque une lampe sous le visage de Jean, style interrogatoire de police.

LE MORT

Est-ce que vous aimez votre travail?

JEAN

Oui... ben... il faut, non?

LE MORT

Combien d'argent gagnez-vous par année?

JEAN

C'est pas de vos affaires, ça!

LE MORT

Combien?

JEAN

Ça dépend...

LE MORT

Avez-vous déjà tué quelqu'un?

JEAN

Non, non...

11

Derrière lui, en projection, un homme se noie.

CHARLES
Au secours, Jean! Jean!

L'éclairage change : ambiance de bar branché, musique rythmée, disco. Charles (joué par Le Mort) se tient au bar et boit.

CHARLES
Check la fille là-bas.

JEAN
Hein, où ça?

CHARLES
Là-bas, la rousse.

JEAN
Laquelle? Sont toutes rousses on dirait avec la lumière rouge.

CHARLES
Tu sais pas reconnaître une vraie rousse?

JEAN, *riant*
Tout nue, oui.

CHARLES
La peau, mon boy. L'odeur d'une rousse. Comme du lait frais.

JEAN
Pis les grosse rousses sentent la crème 35 je suppose!

CHARLES, *riant*
Estie que t'es niaiseux.

JEAN
Anyway, qu'est-ce qu'elle a ta rousse?

CHARLES
Est rousse, ciboire!

JEAN
Pis?

CHARLES
T'as jamais couché avec une rousse, toi, hein?

JEAN
J'sais pas.

CHARLES
Non, tu t'en rappellerais. La peau comme du lait. Tu la liches, là... comme un p'tit chat.

JEAN
Minou, minou...

CHARLES
Miaow!

Ils rient.

JEAN
Anyway, t'as pas de chance.

CHARLES
Comment ça pas de chance!

JEAN, *en souriant*
T'es ben trop soûl, tu pourrais même pas bander.

CHARLES
Tu gages-tu?

JEAN
Ben là...

CHARLES
Tu gages-tu ou tu gages pas?

JEAN
Tu vas toujours ben pas te mettre à bander devant moi?

CHARLES, *en souriant*
Non, toi tu me fais pus bander chéri. Désolé...

JEAN
T'es con... C'est quoi tu veux?

CHARLES
Lequel des deux tu penses a choisirait?

JEAN, *en blague*
Celui qui a le plus gros morceau?

CHARLES
Ok.

JEAN
Ok?... Ok quoi?

CHARLES
On gage.

JEAN
Ben là...

CHARLES
On arrive tous'es deux devant, on se sort le morceau... pis on y demande de choisir. C'est simple.

JEAN
T'es malade!

CHARLES
Pourquoi pas! Tu trouves pas ça compliqué, toi, toutes les histoires de cruising? «Gna-gna, parle-parle, gna-gna, je peux-tu t'offrir un verre, c'est quoi ton signe, tes parents habitent-tu dans ton lit.» C'est du niaisage toute ça! La fille, toute c'qu'a veut, c'est une grosse queue, c'est toute. Pis je l'ai! Fait que...

JEAN, *en blague*
Ouais, ouais... Grosse Mercedes, p'tite baise.

CHARLES
Gages-tu ou tu gages pas?

JEAN
T'es fou ben raide, toi! Tu veux qu'on se sorte la queue devant la fille là-bas?

CHARLES
Va ben falloir un moment donné, non?

JEAN
Tu trouves pas ça un peu vite en affaires?

CHARLES
On saute juste queques étapes plates... On va peut-être même partir une mode!

JEAN
T'es trop soûl toi, là.

CHARLES
C'est toi qui l'es pas assez.

JEAN
Ouan... Je te vois ben te sortir la queue pis y péter une belle crise de diabète en même temps.

CHARLES
Lâche-moi avec ça! Mon père peut ben t'aimer...

JEAN
Ç'a rien à voir...

CHARLES
...Travailles-tu pour mon père, coudonc! Hein, c'est ça? Y t'a engagé pour me suivre parce qu'y était tanné de venir me ramasser à l'hôpital, c'est ça?

JEAN
Tu capotes!

CHARLES
Ben non, je te niaise. *(Pause.)* J'aime mieux quand c'est toi qui me ramasses.

JEAN
Fais attention pareil. Tu le sais quand tu bois trop, tu pars dans les vapes, tu...

CHARLES
...Oui, oui. Bon. On y va-tu?

JEAN
Je vas nous appeler un taxi.

CHARLES
Appelle un taxi si tu veux. Moi, je m'en vas rejoindre la rousse.

JEAN
Attends!

Derrière lui, sur l'écran, un homme se noie.

CHARLES, *en murmure*
Gages-tu chus capable de traverser le lac? Hein, gages-tu?

12

Jean, seul dans l'éclairage. Derrière lui, en projection, on le voit qui marche sous l'eau.

JEAN

Je rêve souvent que tout le monde que je connais est sur une plage. La plupart se font bronzer, certains jouent au frisbee, d'autres font cuire des saucisses sur un Hibachi. Je les vois tous de loin. Je voudrais appeler au secours mais je peux pas parler. J'ai la bouche pleine d'eau salée.

Il va au garage. Il revient en traînant le corps de l'homme blessé, tout trempée. Il commence à lui faire le bouche à bouche. Noir.

13

JEAN

Qu'est-ce tu fais quand la seule question que tu t'ai jamais posée c'est : comment ça se fait que je me pose jamais de questions?

Il tourne en rond autour du cadavre. Temps. Jean s'assoit à une table, ouvre son portable, musique feutrée.

JEAN

Je peux travailler n'importe où. J'amène mon portable. Toujours le dernier sorti, je le change aux 6 mois. Y a des valeurs que le monde ordinaires peuvent pas comprendre, auxquelles y ont pas accès. Mon monde... c'est le vôtre, ou plutôt... celui que vous aimeriez avoir. Le cash, le succès, les filles. Je m'installe dans un café, rue St-Laurent. Pas n'importe où. Entre Sherbrooke pis Prince-Arthur. Le boute chiant. J'ouvre mon portable pis je fais semblant. Je m'arrange pour avoir l'air important. C'est niaiseux mais ça marche. C'est ici que le monde se crée. Des gars des filles d'agences de pub se cruisent gros comme le bras. En fait, y se cruisent pas vraiment. Y testent les différentes nouvelles stratégies de séduction... et vérifient lesquelles fonctionnent le mieux... pour pouvoir vous les vendre ensuite. Mon monde est pas superficiel. Il existe. C'est tout. Mon monde est pas un rêve. Il est votre fantasme. Je suis un produit de votre imagination. Un produit. *(Pause.)* Je sirote mon café brésilien. Je jette des regards aux serveuses au-dessus de mon portable. Comme si elles étaient plus importantes que mon travail, comme si elles m'obsédaient. C'est vrai... Jeunes, fraîches, fermes... Luxe calme et volupté. J'ai toujours pensé que la meilleure place pour mettre de la pub qui serait sûre d'être regardée et convoitée serait sur le cul des jeunes filles. Personne en parle mais tout le monde regarde quand même. Les serveuses ont toutes des décolletés parce qu'elles pensent qu'on va leur donner plus de pourboires pour ça, à cause de. C'est vrai. Beaucoup pensent encore que l'argent peut tout acheter. Pas le bonheur, non. L'image du bonheur. C'est mieux. Vaut mieux avoir l'air heureux pis pas l'être, que d'être heureux pis pas avoir l'air, non? Sinon, qu'est-ce que ça donne, à quoi ça sert? On veut pas être heureux pour nous autres même; on veut que les autres pensent qu'on l'est. *(Pause.)* Je travaille dans une firme de relation publique, je suis un fabricant d'images. Je prends du monde qui ont l'air malheureux mais qui le sont pas pantoute, sinon un court instant vide dans leur vie, pis j'organise la perception de leur malheur, je le change en bonheur. Je transforme l'eau en vin, je multiplie les pains. Je marche pas sur l'eau pis c'est ben toute. Mais avec un bon trucage, on pourrait arranger ça au montage. *(Pause.)* Vous êtes prêt à croire n'importe quoi, du moment qu'on vous dit que vous êtes beaux, fins pis extraordinaires. Mon travail consiste à vous faire croire que le gars dans marde que vous avez devant vous à la télé, c'est vous. Vous voudriez pas vous retrouver là, moi non plus. Vous vous sentez mal pour lui. Vous le comprenez. Il a des défauts, qui n'en a pas? C'est pour ça que notre système du justice fonctionne. Tout le monde est innocent jusqu'à preuve du contraire. Pis croyez-moi que je m'en sers en masse de ça! *(Pause.)* Le ministre Lajoie est une victime. Nous sommes tous victimes d'injustice à un moment ou l'autre de notre vie. On comprend. Vous le savez pas encore mais... laissez-moi faire. C'est comme moi. J'ai pas tué ce gars-là. C'est un irresponsable soûlon qui s'est jeté devant ma voiture. Même si c'est pas vrai... à force de vous le répéter, vous allez finir par y croire. C'est comme les enfants qui achalent tout le temps leurs parents avec tout le temps la même maudite demande : Veux-tu me l'acheter! Veux-tu me l'acheter! Veux-tu me l'acheter! Veux-tu me l'acheter! Veux-tu me l'acheter! Veux-tu me l'acheter! Veux-tu me l'acheter! Veux-tu me l'acheter! Un mensonge répété comme une vérité plusieurs fois pis qui passe à tévé en plus... on finit toujours par y croire... et souvent, aussi, par l'acheter.

14

Jean est au téléphone dans son auto, c'est le soir.

JEAN

Oui, mets-en. Attends un peu, faut que je regarde mon agenda électronique. Demain... demain... Estie que j'ai plein d'affaires à faire! Tout le temps, tout le temps! Bon, euh... Mettons qu'y faut que je choisisse entre une ronde de golf avec le juge Landry ou un match de squash avec l'avocat Tremblay. (...) Qu'est-ce tu penses! (...) Comme d'habitude. *(Il rit.)* (...) Non, non, ça, le graphiste, je peux pas, j'ai pas le temps. (...) Je te dis j'ai pas le temps! M'as-tu vu l'agenda, toi! (...) Écoute ben, chose, c'est pas si facile que ça en a l'air, ma job. C'est pas parce que je fais 300 000 que c'est plus facile. Au contraire. C'est sûr, c'est le fun le gros cash. Mais es-tu prêt à prendre toutes les responsabilités qui vont avec, toi? Tout le monde dépend de moi. Si chus pas là, bang, ça marche pus, la machine s'écroule on dirait. (...) C'est ça, toi tu penses que je m'amuse à aller jouer au golf. J'haï ça, le golf! Mais ça, c'est rien... (...) Ben oui, ben oui, j'ai dit que j'allais le faire, je vas le faire, ben oui. Le graphiste, la conférence vidéo avec les actionnaires, le planning du mois prochain, ben oui, toute ça en même temps, pendant ma ronde de golf même si y faut. Mais là, tout suite, je peux pas, j'ai pas le temps, peux-tu comprendre ça? (...) Regarde, je pars à tous les soirs du bureau pas avant 9 heures, ok, pis là je prends à peine le temps de souper, une tite sandwiche des fois, ou un muffin, si y en reste du matin. Pis ça, même si c'est moi qui les achète pour le monde pis que moi, je déjeune même pas, là. Un jus, un café devant l'ordi. Pis là on parle de 7 heures du matin, au bureau. Je prépare la journée de tout le monde pis... (...) Je fais pas pitié, je te dis que j'aimerais ça des fois avoir du temps à moi, juste pour moi, me semble que...

On entend le bruit de la voiture de Jean qui frappe quelque chose.

JEAN

Ah tabarnak! (...) Je sais pas! (...) Ben non! Je dois avoir pogné un flate. Attends, je te rappelle, ok. (...) Ben oui, ben oui. (...) Ben non, ça doit être un flate. J'ai rien vu. Je vas arrêter voir c'est quoi. (...) Pourquoi tu me demandes si quelqu'un m'a vu? Je te dis que j'ai pogné un flate! *(Jean raccroche.)* Les secrétaires...

Jean sort un soulier taché de sang de sa poche.

JEAN

Un soulier? *(Il regarde autour de lui. Faiblement, l'homme sur le divan gémit.)* Y a quelqu'un? *(L'homme gémit encore. Jean le découvre.)* Tabarnak!... Mais t'es plein de sang! Qui c'est qui t'a faite ça? *(Jean attend une réponse qui ne vient pas.)* Hein? Qui c'est qui t'as faite ça, hein? Méchante gang de malade en tout cas... Sacrament... Ç'a pas d'allure... Es-tu correct? Ben... je veux dire... euh... ben... T'es-tu correct? *(L'homme gémit faiblement.)* Ben là... Es-tu correct? Parle-moi! Dis queque chose! Je rushe ben raide, là! *(Le cellulaire de Jean sonne, il répond.)* Allô? (...) Je vas te rappeler, ok. (...) Le ministre... Euh... Chus sur l'autre ligne avec le gars du towing. Je te rappelle, ok. (...) Ben... c'est ça : dis au ministre que j'ai faite un flate. Je vas le rappeler. (...) Donnes-y pas mon numéro, non, surtout pas! Je te rappelle, ok, c'est-tu clair! *(Il raccroche.)* Bon... *(Temps.)* 1 : fermer le cellulaire. 2 : ... Ah!... Qu'est-ce que je fais?! *(À l'homme.)* Es-tu capable de marcher? (...) Hein? (...) Non? (...) Bon... *(Il regarde autour de lui.)* Y a pas un chat dans le coin. *(On entend miauler.)* Sauf lui... *(Pause.)* Qu'est-ce que je fais, qu'est-ce que je fais?... Calme-toi... pis réfléchis. 1 : j'ai bu. 2 : j'ai frappé quelqu'un. 3 : si je l'amène à l'hôpital... Ben non, y vont me pogner. Si... Si j'appelle... une ambulance pis que... je me pousse mettons, appel anonyme. Ouan, c'est ça! Ben non... Y vont retracer mon appel, c'est sûr. Crisse! Chus pas un écœurant! Je veux pas te laisser là! Mais... fuck! Je peux pas me ramasser en prison ou... je sais pas... perdre ma job, un affaire de même. Aide-moi donc aussi, toi! *(L'homme gémit faiblement.)* C'est rien que ça que t'as à dire, toi! *(Il imite l'homme gémissant.)* Ça m'aide pas ça. *(Pause.)* Euh... Si t'es à pied, tu dois pas rester loin, non? Peux-tu me dire où tu restes? (...) Hein? Sais-tu où tu restes? Sais-tu ton nom? Queque chose! *(Pause.)* Y pourrait pas avoir un téléphone public dans le coin aussi. *(Pause.)* Regarde... euh... Ah maudit! Savoir que tu serais pour être correct aussi! *(Paniquant soudain.)* D'un coup y a un char qui passe pis qu'y me voit! *(Il regarde rapidement autour de lui, écoute au loin.)* Bon, ok, écoute. Euh... On a pas beaucoup de temps, ok. Je peux pas te laisser là pis... euh... ben... je peux pas t'amener à l'hôpital non plus, cherche pas à comprendre, c'est compliqué. Bon. Ok. Euh... Ah! J'haïs ça faire ça... *(Il fouille l'homme, lui retire un portefeuille et des clés. Il consulte les papiers dans le portefeuille.)* 24, Chemin du boisé... on est sur le Chemin du boisé... Ça doit pas être loin. Ok. Regarde. On va aller chez vous. Ok. Pis... Euh... On verra! Je sais pas... Je signe un chèque à ta femme pis on en parle pus, hein? Ça se peut? Hein... A... A... Ta femme t'amène à l'hôpital pis... pis c'est ça. T'es correct, y te soigne pis moi aussi. Ok. Ok. Bon. Pis on en parle pus. C'est ça. Un gros chèque. Ok. Cent mille mettons? Ok. Bon. Ok. On y va. *(Pause.)* Mais là... C'est peut-être pas bon de bouger un blessé de même?... *(Pause.)* Pourquoi c'est pas toi qui conduisais... Tout le monde aurait été content.

Noir.

15

Jean a mis une couverture sous le blessé, assis sur le siège arrière. (Jean est assis sur une chaise devant l'homme qui est sur le divan.)

JEAN

J'avais acheté ça cette couverte-là au cas je ferais un pique-nique avec une fille. Les filles aiment ben ça ces affaires-là. Une couverte en cachemire. Quand t'as rien à dire, ça part une conversation. «Où tu l'as achetée, combien ça coûte, t'as du goût»; des niaiseries de même. Le pire, j'avais déjà imaginé tout une histoire pour cette couverte-là. J'aurais été l'acheter queque part dans le désert. Une place que je pouvais pas nommer. Top secret. *(Il rit un peu.)* La couverte m'aurait été donné par un marabout ben puissant. C'est des genres de sorciers du désert. Ces gars-là voient l'avenir pour vrai. Même le président Mittérand avait son marabout. Et pis, là, moi, le marabout m'aurait dit des choses... Des secrets. T'sais le genre d'affaires avec lesquelles tu peux faire un bon boute avec. Jusqu'à temps que plein de remords et de regrets, tu lui avoues que tu l'as achetée chez La Baie. Là, tu fais un peu pitié. Les filles trouvent ça cute les menteurs. Demande-moi pas pourquoi! *(Jean regarde dans son rétroviseur.)* M'écoutes-tu? *(L'homme gémit faiblement.)* Tout ça pour te dire que tu viens de scraper une maudite bonne histoire avec ton sang sur ma couverte en cachemire. Anyway. *(Temps.)* Tu me le dis, hein, quand on arrive proche de chez vous. Fait tellement noir, je vois pas les adresses. *(Temps.)* Quand j'étais petit, j'étais souvent malade en auto. Mon père fumait au boute, full boucane dans l'auto. Y voulait même pas que j'ouvre la fenêtre un peu. «Y a l'air climatisé qui marche.» J'avais juste à le dire quand j'allais pour être malade. Mais fallait que je prévienne un peu d'avance, t'sais, pour qu'y trouve un rest area ou une place assez large sur le bord de la route pour arrêter. *(Pause.)* Ciboire! *(Il freine brusquement. Le visage entre les mains, il soupire un grand coup.)* Qu'est-cé que j't'en train de faire là, moi?... Es-tu correct? Hein?

Il s'approche de lui, le touche un peu. L'homme ne bouge pas. Jean a le bout des doigts taché de sang. Fondu sur la main de Jean. Noir.

16

En projection, sous l'eau : on voit Jean qui parle au téléphone cellulaire alors que son ami Charles se débat derrière lui.

JEAN, *seul dans l'éclairage*

J'ai vu un documentaire l'autre jour qui parlait du stress des saumons. Des changements de température de l'eau, des produits chimiques déversés. Il disait que des saumons nés mâles finissaient par changer de sexe tellement ils étaient déboussolés à cause des situations de stress intense que la vie moderne imposait à leur environnement. *(Pause.)* J'ai fermé la télé.

17

Le Mort a revêtu veston et cravate, il joue Charles, l'ami noyé de Jean.

CHARLES
C'est pas de ta faute, Jean. J'avais beaucoup bu. Trop.

JEAN
Notre dernier pari, Charles : traverser le lac à la nage.

CHARLES
C'est le diabète qui m'a tué, pas toi. Tu pouvais rien faire. Tu sais pas nager...

JEAN
T'étais mon ami...

CHARLES
Oui. Mais... Dans notre monde, les amis... c'est plutôt des relations. Et quand on a une chance de... même si c'est un ami...

JEAN
C'est pas mon genre.

CHARLES, *riant*
Oui, bien sûr...

JEAN

Ben voyons donc!

CHARLES

Non, écoute. *(Pause.)* C'est la seule raison pourquoi, toi, t'es vivant et pas moi...

JEAN

Arrête!

CHARLES

Crois-tu en Dieu?

JEAN

Dieu, Dieu... Lequel?

CHARLES

Celui tu veux.

JEAN

Dieu... c'est une invention, ça. Dieu, Allah, Yahvé... Y en a qui ont besoin de s'inventer des affaires comme ça pour se justifier... je sais pas... faire peur au monde... ou avoir moins peur, je sais pas.

CHARLES

Moins peur de quoi?

JEAN

Si je le savais!

CHARLES

Mais toi... de quoi t'as peur?

JEAN
Moi? J'ai peur de rien, justement, de rien pantoute.

CHARLES
T'es ben sûr?...

JEAN
Pantoute, je te le dis.

CHARLES
Tu serais donc... comme ton propre dieu?

JEAN
Hum... Belle façon d'envisager la chose en tout cas. Mon propre dieu?... Peut-être.

CHARLES
As-tu peur de mourir?

JEAN
Je sais pas... je me suis jamais vraiment posé la question.

CHARLES
Menteur...

JEAN
Qu'est-cé que t'essayes de me dire là, au juste? Que si c'est pas Dieu, ou quelque chose du genre, qui a voulu ça... La vie a aucun sens?

CHARLES
C'est pas à moi de te répondre.

JEAN
Des fois, faut pas trop chercher à comprendre, je suppose. Anyway, tu peux ben parler, toi, t'es mort! Tu dois ben le savoir?

CHARLES

...

JEAN

Pis?

CHARLES

...

Noir.

18

Le jour se lève au travers les fenêtres. Jean s'assoit sur le divan, ouvre la télé.

TÉLÉVISION

– Est-ce que vous avez vu l'accident?

– Je vous l'ai dit, je dormais pas. J'écoutais la tévé le son ben bas pis les lumières fermées pour pas réveiller ma femme. Pis là, y a eu des spots qui éclairaient mon salon. Chus allé voir par la fenêtre. Faisait noir, hein, c'tait le soir. J'ai vu un char noir, ou foncé en tout cas. Ça avait l'air d'une Mercedes ou d'une BMW. Faisait noir, j'ai pas vu grand-chose, juste l'auto. Ses spots pointaient dans mon salon. C'est toute c'que j'ai vu. À tévé, vous avez nommé le nom de la rue icitte. Je me sus dit que ç'avait p't-être rapport.

– Vous avez vu un homme mettre le corps d'un autre homme dans son auto?

– Vous êtes ben fatigants vous autres!

– Voilà, Paul. C'est les images que nous avons.

– D'autres développements?

– On a tenté d'en savoir plus auprès des policiers. On nous répond que l'enquête suit son cours. Mais on peut penser qu'avec ce nouveau témoignage, l'histoire de Madame Thériault paraît plus probable. Tout ce qu'on nous a dit c'est que les policiers allaient poursuivre leur enquête.

– Ils devraient peut-être aller cogner aux portes du voisinage.

Interrompant le reportage, le cellulaire de Jean sonne. Sur son afficheur, il voit le numéro de son patron.

JEAN

Ah non... Pas lui... *(Il répond.)* Allô. (...) Oui, patron. (...) Ouan ben... (...) Je sais pas... (...) Ben... euh... (...) Chus pus sûr que chus le bon gars pour ce dossier-là. (...) C'est ça. (...) *(Après un soupir.)* Ben sûr, hein... C'est ben plus simple de même. (...) Tout ce que vous voulez faire c'est... (...) Oui, oui, je le sais : ça en prend au moins 2. Je la connais votre méthode. Une belle, une pas belle. Une belle, pour que tout le monde pense qu'a pense juste à ça, donc que c'est pas de sa faute au ministre; une pas belle qui servira de lien phare avec la majorité des femmes flouées par des arrivistes comme la «plaignante». (...) La belle est pas vraiment assez belle, vous trouvez?... Mais vous allez arranger ça, hein, pas de trouble. (...) Oui, effectivement, créer une diversion pour mettre le spot ailleurs. Vous êtes ben bon là-dedans. (...) Ben oui, hein. Comme vous dites : on pourrait y trouver une cause de motards. On fait exploser une bombe, la police fait des enquêtes, le ministre va passer son temps à commenter. Le drill habituel : la police arrête personne pis le ministre arrête pas de parler de ça. (...) Non, non, chus pas mal à l'aise avec ça, c'est juste que... Lajoie est vraiment un écœurant. (...) Quoi, pis moi? (...) Ben justement, j'en ai plein mon casque de toute ça! J'ai pas envie de me retrouver dans 30 ans, le jour de ma retraite dans un bien-cuit à me faire dire comment j'ai donc été un écœurant extraordinaire!

On entend une espèce de musique de fanfare. Des projecteurs de poursuite ballaient la scène. Atmosphère de fête. Nous sommes au party de retraite de Jean, liberté 55. Applaudissements qui s'estompent.

JEAN

Merci, merci, merci. 30 ans de carrière! Ça se fête! Surtout que je m'en vas demain. Enfin! *(Rires de salle.)* Dire que vous pensiez même pas que je tofferais une semaine! *(Rires de salle.)* Non, sérieusement... Je sais même pas pourquoi vous m'avez engagé! *(Rires de salle.)* Ce soir, je suis très touché. Pour me rendre hommage, vous avez réuni tous mes amis. Vous avez cherché longtemps... mais vous en avez trouvés. J'imagine que ç'a dû vous coûter cher! *(Rires de salle.)* Vous avez même invité mon nouvel «ami»... mon dernier dossier. Lui, là... La première fois que je l'ai rencontré, il venait de frapper un mur dans sa vie. Littéralement. Coin Jarry et Métropolitain. Chaud mort, avec une mineure. Chus arrivé avant la police. J'ai donné 500 piastres pis un gramme de coke à la fille pour qu'elle s'en aille toute seule inventer une histoire à l'urgence; pis à lui, j'y ai donné les clés de ma B.M. – même si y était chaud mort – pis je me suis assis dans son char, je me sus pèté la tête une couple de fois sur son dash... pis j'ai attendu la police. Je vous dis pas quelle histoire j'ai raconté aux flics... mais ça m'a coûté cher. Ben, ça m'a coûté cher... ça «lui» a coûté cher! *(Rires de salle.)* Mais qui c'est que je vois? Non... Pas lui aussi! Ah ben là vous me faites plaisir! Monsieur Lajoie, ancien ministre de la justice et maintenant juge en chef à la cour supérieure. Maudit que le monde est ben faite!

La musique et tout le reste s'évanouissent. Temps.

JEAN

Ciboire... Je veux pas finir de même. C'est-tu assez clair! Êtes-vous capable de comprendre ça? (...) Quoi?! Le monde est pourri pis une chance qu'on est là pour qu'il ait de l'air moins pire?

Jean laisse tomber son cellulaire dans un aquarium.

JEAN

Tiens, c'est-tu pas beau, ça? Vous faites une belle décoration pour poissons, Monsieur Dupuis. Y vous manque juste le sac à couchage avec des roches dedans. *(Imitant un poisson comme toute réponse.)* «Bloup-bloup.» Est-ce qu'on peut vouloir défendre quelqu'un quand on sait pertinemment qu'il est coupable? Qu'il a tué? Pour vrai. «Bloup-bloup.» Quoi? J'entends pas bien? «Bloup-bloup. Ça se peut des fois qu'on arrive au bout du rouleau?» Si moi chus au bout du rouleau, qui c'est qui est à l'autre bout? Pis un rouleau de quoi, hein? «Bloup-bloup.» C'est toi qui est à l'autre bout du rouleau, toi pis le ministre pis toutes les autres qui le déroulent mon rouleau. Pis là vous me regardez pendu après le dernier carré de papier de toilette... pis vous vous en torchez ben de moi, hein! T'as aucune idée de ce qui m'arrive, pis tu t'en sacres ben dans le fond. Si je fais pus l'affaire : bye bye, on te flushe! Envoye avec les autres plein de marde dans le fleuve. *(Il donne un coup au mort à ses côtés.)* Pourquoi t'es mort, toi, aussi!

On sonne à la porte. Jean panique.

LE MORT, *en souriant*

T'as l'air fou, là, hein!

19

Jean se lève d'un bond.

JEAN

Y m'auront pas!

Le Mort ouvre la télévision, il zappe. On n'entend que des publicités pendant que Jean prend sa chaise et va la mettre contre la poignée de la porte. Il pousse un bureau contre la porte. Il met des coussins dans les fenêtres, bref il utilise tout ce qu'il a à sa portée pour se barricader.

TÉLÉVISION

Plus de gens en mangent parce qu'elles sont plus fraîches et elles sont plus fraîches parce que plus de gens en mangent.

JEAN

Non monsieur, je me laisserai pas faire.

LE MORT

On trouve de tout, même un ami.

JEAN

Envoyez, essayez de rentrer!

LE MORT
Un style à ta mesure.

JEAN
Envoyez!

LE MORT
Tes chums, ta vie, ta bière.

JEAN
Non.

LE MORT
Le vrai de vrai.

JEAN
Je suis un rempart, un fort imprenable, une forteresse à moi tout seul.

TÉLÉVISION
Le choix d'une génération.

JEAN
Je construirai une cathédrale s'il le faut.

LE MORT
J'aime les choses simples.

JEAN
Le siège peut commencer.

TÉLÉVISION
Là où la qualité n'est pas un obstacle aux bas prix!

JEAN
J'ai survécu à toutes les guerres de l'humanité.

LE MORT
Y a un p'tit peu de nous autres là-dedans.

JEAN
Amenez-en.

LE MORT
Tout le monde le fait, fait le donc.

JEAN
Des barbares, des croisés; des terroristes, des présidents.

TÉLÉVISION, *chanté*
On est 6 millions, faut se parler!

JEAN
Des avions en flammes, des tours qui s'écroulent, des armes bactériologiques.

LE MORT
Le p'tit Québec, c'est juste pour nous autres.

JEAN
Je suis immunisé contre l'absurdité.

TÉLÉVISION
I AM CANADIAN!

JEAN
Je suis un pays qui déclare son indépendance face au reste du monde.

LE MORT
Just DO IT.

JEAN
Autour de moi, je trace un trait.

LE MORT
Pour être différent, comme tout le monde.

JEAN
C'est ici que le monde libre commence et finit.

Le Mort se lève, fait des étirements.

JEAN, *murmurant*
Qu'est-ce tu fais?

LE MORT, *en souriant*
As-tu peur de queque chose?

JEAN, *murmurant*
Cache-toi!

LE MORT
Pourquoi?

JEAN
La porte!

LE MORT
Pis?

JEAN
Veux-tu ben te cacher!

LE MORT
Veux-tu j'aille voir c'est qui?

Le Mort se dirige vers la porte.

JEAN
Non!

Le Mort a la main sur la poignée de la porte.

LE MORT
J'ouvre?

JEAN
Si tu fais ça, chus pas mieux que mort.

LE MORT
Join the club.

On frappe à la porte.

LE MORT, *narquois*
Chéri, tu attends quelqu'un?

JEAN
Tabarnak... Qu'est-cé que je fais là à parler avec un mort?...

LE MORT
Tu travailles trop, Jean.

JEAN
Perspicace...

20

Le Mort apporte une chaise et Jean s'assoit dessus, penaud, coupable. Il se colle sur la poitrine un autocollant avec l'inscription : «Bonjour, je m'appelle Jean.»

JEAN, *pointant son autocollant*

Bonjour... Je... Je m'appelle Jean Paré... et... et je suis workaholic. *(Temps.)* J'ai... J'ai essayé d'arrêter, c'est vrai. *(Pause.)* Non. J'ai jamais essayé d'arrêter. J'ai toujours voulu en faire plus. Plus que les autres, plus que tout le monde. J'étais plus que les autres, plus que tout le monde. Pas capable de faire confiance à personne. *(Temps.)* La performance, à tout prix. 2, 3, 5 dossiers en même temps. Tout le monde se demandait où je prenais le temps. J'avais l'impression qu'il m'admirait et me jalousait en même temps. C'était... grisant. Ouan, c'est ça. Un feeling... de pouvoir. Être le meilleur. Le plus en demande. *(Pause.)* Et avec ça vient la pression. Pas le droit à l'erreur. Sinon, l'excuse... Non, pas l'excuse. La condamnation : «c'est sûr qu'il a raté, il en fait trop.» Les jaloux... Les vautours, les coyotes, les corbeaux. Y sont là, y te tournent autour, y attendent que tu crèves, que tu fasses une erreur. Pourtant... Y le savent. Eux autres aussi, y le savent. Ce genre de vie-là... Ça... ça mène à... *(Temps.)* C'est quoi la différence entre aimer et faire semblant d'aimer? L'important c'est qu'on arrive à y croire. *(Temps.)* J'ai... J'ai essayé d'y croire. Ah oui... *(Pause.)* Me semble que j'aurais aimé ça, moi aussi, un jour, sortir des photos de mon portefeuille. Tiens, ça c'est mon p'tit dernier. *(Pause.)* Mais... J'avais pas le temps. Toujours quelque chose de plus important à faire. Je veux pas dire qu'avoir des enfants c'est le boute de la marde pis la recette du bonheur, là. Non. Mais... Je sais pas... T'sais... Rentrer chez vous pis savoir que y a au moins queques personnes s'a planète qui t'aiment pour ce que t'es. Pas juste pour ce que tu peux leur rapporter. *(Pause.)* Je sais pas... *(Temps.)* Je suis un sale qui se met du parfum, je suis un crotté qui se lave, je suis un pourri qui mange des pommes, je suis un pouilleux qui s'habille en complet.

Temps.

LE MORT
Oui, bon, on s'égare un peu, là. Récapitulons, ok. Donc... vous avez entendu sonner à la porte... et vous avez paniqué. Vous avez perdu la tête et vous vous êtes barricadé.

JEAN
Oui, c'est ça. Je pense. Je sais plus. J'avais pas beaucoup dormi...

LE MORT
Et après ça?

JEAN
Saviez-vous que le lion ne prend même pas la peine de tuer la gazelle avant de lui arracher des lambeaux de chair avec ses dents.

21

JEAN

Ok. Jean, arrête de déconner. *(Temps.)* Je suis peut-être pas le meilleur bon gars s'a planète... mais chus venu au monde avec un talent. Je sais mentir. Non, plus que ça. Je sais inventer la vérité. Pas la vraie vérité. Celle-là intéresse personne, pas assez spectaculaire. *(Petit rire.)* Tout ce que j'ai à faire, c'est de gérer ce qui m'arrive comme si j'étais un de mes clients. Quelle histoire le monde ont envie de croire? *(Pause.)* «Un fabricant d'images en état d'ébriété tue un piéton et se cache dans la maison de sa victime.» Déjà là, le titre est trop long. «Un homme se jette devant une voiture.» Hum... Plus punché. Dramatique. Et surtout... ça donne envie de savoir. Qui est cet homme? Pourquoi a-t-il posé ce geste désespéré? C'est l'angle qui est important, pas la nouvelle. Ne zappez pas, on revient après la pause. *(Temps.)* Ouan... *(Temps.)* Mais dans mon cas, la meilleure histoire, c'est encore pas d'histoire pantoute. Les gens heureux ont pas d'histoire. *(Jean ouvre son portable et se branche sur Internet. Il cherche.)* Comment se débarrasser d'un cadavre qui parle trop? Parce qu'au fond, c'est ça l'idée. Si je me débarrasse du corps, ni vu ni connu. Inspirons-nous des grands criminels que l'humanité a enfanté. *(Lisant un moment.)* Hum, hum... Lui, il a fait fondre le cadavre dans son bain avec de l'acide à batterie.

LE MORT

Un peu salissant... Pis... Je viens juste de rénover la salle de bain.

JEAN

L'avantage de cette méthode-là par contre c'est qu'on ne peut plus reconnaître la personne...

LE MORT

...Mais le corps ne disparaît pas pour autant par exemple.

JEAN

Mouais... *(Lisant un moment.)* Ah... elle... Elle a découpé en morceaux le cadavre... *(le Mort n'apprécie pas l'idée... et fait signe que non)* ...pour pouvoir être capable de faire rentrer le corps dans son congélateur. Le temps, j'imagine, de réfléchir à comment se débarrasser du mort plus efficacement, tout en n'étant pas dérangé dans ses pensées... *(au Mort)* hein!... *(poursuivant)* ...par l'odeur de putréfaction du cadavre. Hum, hum...

LE MORT

Une femme aux États-Unis a fait empaillé son mari et l'a installé dans le jardin. Elle s'en sert comme épouvantail.

JEAN

C'est une idée... Mais je suis pas très doué pour le bricolage...

On voit la page de www.cadaverinc.com s'afficher, le télé-avertisseur, le message enregistré, puis : «Time... money... These are ressources not everyone has. That's where we fit in.» Etc. Il s'agit d'un service qui propose de tuer et/ou de disposer de cadavres encombrants pour gens trop occupés.

JEAN

Y a vraiment du monde tordu!

LE MORT
Pourquoi tu te livres pas aux policiers?

JEAN
Es-tu fou! Frapper quelqu'un en état d'ébriété, c'est une chose; le tuer en plus, c'en est une autre. Amener le corps chez lui et se cacher dans sa maison... je pense pas que le juge serait très compréhensif.

LE MORT
Au moins t'aurais la conscience tranquille.

JEAN
Oui, très tranquille... tout seul au fond d'une cellule, avec sûrement un mort qui arrête pas de me parler.

LE MORT
Je te dérange?

JEAN
Juste un peu.

LE MORT
Scuse... C'est parce que j'ai pas d'expérience comme mort.

JEAN
Ouan, ben moi non plus j'ai pas tellement d'expérience comme criminel. Fait que peux-tu te la fermer et faire le mort 2 minutes que je réfléchisse un peu, s'il vous plaît, ok!

Temps.

LE MORT
Peut-être que tu te compliques trop la vie? Qu'est-ce qui te dit que c'était les flics qui sont venus sonner tantôt?

JEAN

Ouan, c'est vrai. Ça aurait pu être... je sais pas...

LE MORT

Hydro, ou le facteur?...

JEAN

Ouan... un affaire de même. Ça se peut. Hein?... *(Temps.)* Pourquoi chus pas allé voir aussi! *(Pause.)* Mais bon... L'idée, c'est de pas prendre de chance non plus. *(Court temps, soupirant.)* Ah ciboire... *(Temps.)* Anyway, je m'en sors pas. Faut que je me débarrasse de toi, mon chum. *(Temps.)* Comme je me connais pas de passé sadique... je me mettrai pas à te couper en morceaux. Te cacher me semble la seule solution à ma portée.

LE MORT

Sauf que... où? *(Temps.)* M'enterrer dans le jardin peut-être?

JEAN

Mais comme tu restes en banlieue, tu dois connaître toutes tes voisins. À moins...

LE MORT

À moins que tu te déguises... que tu te déguises en genre d'ouvrier...

JEAN

Ouan... pis que je me mette à creuser, ouan... Pis si tes voisins me posent des questions?

LE MORT

Tu leur dis que tu fais des travaux pour moi.

JEAN

Ouan, des travaux. Quels travaux?

LE MORT
Des travaux, ciboire!

JEAN
Ouan! C'est pas de vos câlisse d'affaires de quels travaux chus en train de faire, maudite gang de fouineux! J'y vas-tu chez vous, moi, pour sniffer vos bobettes voir si... hein... bon... hein... gang de... *(Temps.)* Ouan... C'est sûrement pas l'attitude à adopter. Mais bon.

LE MORT
Mettons que tu te tiens tranquille.

JEAN
Même à ça... *(Pause.)* Veux-tu ben me dire pourquoi tu restes pas dans un condo comme tout le monde!

LE MORT
T'aurais juste eu à me dropper dans la chute à déchets au boute du corridor pis après aller en bas partir le feu.

JEAN
Mais c'est ça. Christie... moi pis mes idées de bon gars. Si je t'avais amené chez nous à place, c'est ça que j'aurais pu faire.

LE MORT
Y est toujours temps de ben faire par exemple.

Jean va à la fenêtre jeter un coup d'œil avec le Mort.

JEAN
Câlisse... Un char de flic qui vient juste de passer.

LE MORT

C'est comme les taxis, ça : quand t'en as besoin d'un, y en a jamais; pis quand t'en as pas besoin...

Temps.

JEAN

Ok, exit l'idée de sortir d'icitte pour le moment. *(Temps.)* Ciboire! Qu'est-cé que je vas faire!

Le Mort se replace dans sa position initiale. Jean fait les cent pas. Temps.

JEAN

Ben oui! Mais c'est ça! Regarde-moi donc un peu, toi. *(Le Mort ne bouge pas.)* Bon, tu fais ben le mort quand ça t'arrange, toi, hein. Anyway, c'est pas grave, c'est mieux comme ça même. *(Temps.)* Ouan... *(Temps.)* L'idée, c'est ça. Je vais me faire passer pour toi. Ouan... C'est ça.

Le Mort rit, sarcastique.

JEAN

Tu te penses smatte, hein. Ok. Tu veux jouer à ça, on va jouer à ça. Pis check-moi ben aller. Je vas pas juste convaincre le monde que je suis toi; je vas les convaincre que je suis «mieux» que toi! Hein! Pis c'est pas juste les flics que je vas convaincre que je suis toi en mieux. Mais ta femme aussi! Oui, monsieur.

Le Mort sourit.

JEAN

Pis même tes enfants aussi.

LE MORT

...

JEAN

Tu dis rien?

LE MORT

...

JEAN

Ben t'as ben raison. T'as rien à dire non plus. *(Pause.)* Méchant trip, hein? C'est de valeur que tu sois mort, tu pourras pas voir ça. Oh boy!

Jean se déshabille. Ne lui reste plus que son caleçon et ses bas.

JEAN

Jusqu'où je suis prêt à aller?... *(Court temps.)* Si je veux me faire passer pour toi, y faut que je néglige aucun détail.

Jean va dans la chambre et revient vêtu des sous-vêtements de sa victime (culotte boxer ample et usée avec des bas blancs.) Sous le bras, il tient un pantalon en jean et un chandail de coton ouaté. Il se regarde dans le miroir, satisfait.

JEAN

Déjà, je me sens différent. *(Il revêt le jean et le chandail. Se regarde dans le miroir.)* Ouais... Vraiment différent. *(En souriant, au Mort.)* Va juste falloir m'habituer au fait que j'ai maintenant pas de goût, hein. *(Pause.)* Bon, ok, première étape : ressembler. Paraître, sembler, devenir. Ok. Bon. M'habiller comme toi, jusque dans les moindres détails, dessus et dessous. Check. Maintenant, l'allure. Les cheveux. *(Regardant le Mort.)* Ouan... Pas grand-chose à faire avec ça, hein. Mais bon. Essayons quand même.

À grand coup de langue sur les doigts, il essaie de se placer les cheveux comme le Mort en se mirant dans le visage du Mort tel un miroir vivant. Il replace quelque peu les cheveux du Mort afin qu'ils ressemblent plus aux siens.

JEAN
Pas facile... Ok. L'expression du visage maintenant. Ta face... *(Regardant le Mort, lui tournant un peu le visage de chaque côté.)* Ouan... c'est sûr que comme ça, l'expression... c'est plutôt facile à avoir : l'air mort. Ok. Un peu d'imagination.

Jean essaie de faire sourire le mort en soulevant les commissures des lèvres. Le «sourire» du Mort ne tient pas longtemps. Jean est obligé de s'y reprendre quelques fois.

JEAN
Coudonc! Tu pourrais pas avoir l'air plus vivant! Y a-tu juste un embaumeur qui serait capable de te faire sourire, toi! Ah pis anyway. Mettons que tu souriais juste un peu, parce que... *(lui ouvrant un peu la bouche, dévoilant les dents du Mort)* mettons que côté dents, t'as pas l'air d'une annonce de Colgate pantoute. *(Pause.)* Bon, y me manque-tu queque chose? Ta façon de bouger peut-être? Et de parler aussi. *(Pause.)* Va falloir faire confiance au dicton...

LE MORT
L'habit fait le moine.

JEAN

De toute façon, avoir l'air compte déjà pour beaucoup. *(Se convaincant.)* Un vrai scientifique qui viendrait nous dire que tel savon est meilleur qu'un autre «parce que», ça marcherait pas. Même si le gars est un vrai scientifique, y a «l'air» moins vrai que le faux. Il m'est donc tout à fait possible d'avoir l'air plus vrai, moi aussi. *(Pause.)* Maudit que je m'aime des fois! *(Pause.)* Bon, maintenant : être. Déjà, juste en regardant autour de moi dans la maison, je peux m'imaginer un peu quelle sorte de vie tu avais. Quelle sorte de vie «j'ai» plutôt, puisque je suis maintenant «toi», hein? *(Regardant le Mort, attendant une réaction qui ne vient pas.)* Ouan... Disons que ça va vraiment être un rôle de composition. *(Pause.)* Bon, répétons un peu... Tu me le dis, hein, si tu trouves que je l'ai ou pas, hein? *(Il rit un peu.)* Bon, ok... mettons... mettons que les flics sonnent, hein. *(On entend la sonnette, Jean va répondre.)* Je réponds, d'un naturel galant : «Bonjour messieurs, qu'est-ce que je peux faire pour vous? Prendriez-vous une bière? Y est peut-être un peu tôt pour ça, oui. Un café? Un thé, une tisane, un coke? Servez-vous, ça me fait plaisir! Allez, allez, vous faites pas prier. Hier, j'ai fait mon fameux gâteau aux carottes, vous allez ben en prendre un morceau, hein? Mais que je suis bête! Je vous laisse là sur le seuil de la porte. Entrez, entrez! Belle journée aujourd'hui, vous trouvez pas? Si y fait beau comme ça de bonne heure de même, c'est sûr qu'on va avoir une belle journée, c'est sûr. Je me demande c'est quoi le record de chaleur. On va sûrement le battre. Vous pensez pas? En tout cas, c'est une belle journée pour étendre! *(Pause.)* Quoi? Qu'est-ce que vous me dites là? Vous cherchez un mort? Quelle drôle d'idée!»

22

Le téléphone sonne.

LE MORT, *regardant Jean*

Réponds... C'est pour toi.

JEAN

Pour moi? *(Il prend le téléphone. Mal à l'aise...)* Allô? (...) Oui, ça va, toi? (...) Passe-moi-le, je vas y parler. (...) Allô, mon grand! Tu t'es fait mal? (...) Où ça? (...) La prochaine fois, tu le sauras. Tu le sais, je te l'avais dit, y a des roches au bout du quai, faut faire attention quand on plonge. (...) Ben oui. (...) Ben non, c'est pas de ta faute. (...) Tu me donnes-tu un gros bi? (...) Moi aussi, je t'aime.

Temps. Jean prend le téléphone et le lance violemment à l'autre bout de la pièce.

JEAN

Va donc chier.

LE MORT

T'auras beau essayé d'être moi, tu seras jamais capable. C'est pas dans ta nature, mettons.

JEAN

Tu penses que chus pas capable, moi aussi, hein, c'est ça? Tu penses que chus un trou de cul qui est juste bon à rien?

LE MORT
À part d'écraser du monde dans vie, je pense que tu sais rien faire d'autre.

JEAN
Ah, tu penses ça, hein!

LE MORT
T'es perdu.

JEAN
Moi?

LE MORT
T'es tout seul dans le monde. T'as même pas quelqu'un à appeler pour dire pourquoi t'es pas rentré.

JEAN
Pis?

LE MORT
Au fond... c'est pas moi que t'aimerais être; c'est ma vie que t'aurais aimé avoir. Non?... T'as beau m'avoir tué... tu l'auras jamais ma vie.

Temps.

JEAN
De toute façon, je m'en fous, je m'en fous complètement.

LE MORT
Sure...

JEAN
Anyway, c'était quoi ta vie, toi, hein? As-tu eu une femme? Des enfants? Un chien, une tondeuse? Comment ça se fait que tu sois

tout seul ici? Une grande maison comme ça, quand on a ça, me semble que c'est parce qu'on a toute le kit qui va avec, non?

Le Mort se lève pour aller chercher quelque chose.

JEAN
Y a 3 chambres, des jouets d'enfant, y a même un bol d'eau à terre dans cuisine. Un chien, un chat? Mais où ce qu'y sont tout ce monde-là?

Le Mort revient avec un album photos sous le bras.

LE MORT
Comment t'as pu penser venir ici pis vouloir régler ça avec un chèque pour ma femme. Je me demande ben qu'est-ce que t'aurais fait si elle avait été là quand t'es arrivé.

JEAN
Est où, justement, ta «supposée» femme, hein?

Le Mort regarde son album photos, un peu perdu dans ses souvenirs.

LE MORT
Elle va sûrement revenir.

JEAN
T'es-tu chicané avec ta blonde?

LE MORT, *ne faisant pas vraiment attention à Jean*
Demain peut-être.

JEAN
Elle reste encore ici en tout cas, ses affaires sont encore là.

LE MORT
Peut-être pas.

Le Mort sourit, nostalgique, à la vue d'une des photos.

JEAN
C'est pour ça que t'es tout seul ici... *(Temps. Voulant se convaincre du contraire.)* Ben non! Hein. M'as te gager que t'as un chalet. Ben oui, c'est ça, hein. Une longue fin de semaine, tout le monde est au chalet. C'est ça.

LE MORT
Si tu veux.

JEAN
Pis toi... Pourquoi t'es pas allé? Tu travaillais?

LE MORT, *lui montrant une photo*
Regarde.

Le Mort se lève pour aller chercher 2 bières.

JEAN
Des Polaroïds... *(En souriant. Jean tourne les pages de l'album photos.)* On peut pas dire que t'étais un grand photographe. J'ai une super caméra numérique chez nous, moi, pis avec l'ordinateur, tu peux toute retoucher tes photos.

LE MORT, *donnant une bière à Jean*
En as-tu des photos avec toi?

JEAN
Euh... non... T'sais... je m'en suis jamais vraiment servi de ma caméra. Le numérique, c'est ben beau mais c'est pas comme un vrai album photos, hein.

LE MORT

Ça dépend des souvenirs qu'on a.

JEAN

Ouan... *(Temps.)* T'étais ben ici, toi, hein?

Jean se laisse imprégner du confort du divan. Regarde autour de lui.

LE MORT

Pas pire...

Le Mort va mettre de la musique : «Wish you were here», de Pink Floyd. Les 2 hommes boivent leur bière. Temps.

JEAN

Ouan...

LE MORT

Ouan...

JEAN

Y a comme quelque chose... quelque chose de touchant dans cette maison-là. Quelque chose... quelque chose de... réconfortant. Ouan, c'est ça. Confortable et réconfortant. Ça ressemble un peu à la maison chez mes parents.

L'éclairage diminue, se tamise. Les 2 hommes ont un plaisir évident à regarder les photos et rient à l'occasion, alors qu'en projection derrière eux défile un questionnaire.

Êtes-vous heureux? Répondez à chaque question par OUI ou par NON.

1. Êtes-vous globalement satisfait(e) de votre vie?
2. Avez-vous le sentiment que votre vie est vide?
3. Craignez-vous qu'un malheur soit sur le point de vous arriver?
4. Vous sentez-vous heureux(se) la plupart du temps?
5. Avez-vous souvent l'impression d'être impuissant(e), désemparé(e)?
6. Avez-vous l'impression d'avoir plus de problèmes que la plupart des gens?
7. La vie que vous menez vous semble-t-elle plutôt inutile et méprisable?
8. Pensez-vous que votre situation soit sans espoir?
9. Pensez-vous que la situation de la plupart des gens soit mieux que la vôtre?
10. Pensez-vous qu'il est merveilleux de vivre à notre époque?

Je vous rappelle que ce test est sans réponse et que vous devez en tirer des conclusions vous même...

Jean fige devant une photo. Il sort la photo de l'album. La regarde longuement, fasciné. Puis, subitement, il déchire la photo. Noir.

23

Lumières. Le Mort n'est plus là. De la cuisine, on entend Jean chantonner une pétillante chanson de Dysney, «Zip-a-dee-doo-dah», du film «Song of the South».

JEAN

«Zip-a-dee-doo-dah, zip-a-dee-ay
My, oh my what a wonderful day!
Plenty of sunshine heading my way
Zip-a-dee-doo-dah, zip-a-dee-ay
Wonderful feeling, wonderful day!»

Chérie! Le souper va être prêt, ce sera pas long!

Il sort de la cuisine avec un balai. Il chante «Trouble» tiré du film «King Creole», de Elvis Presley, en dansant avec le balai.

JEAN

«If you're looking for trouble, you came to the right place. If you're looking for trouble, just look right in my face.» *(Faisant mine de frapper au plafond avec son balai, à la Johnny Farago.)* «3 p'tits coups... Sur le plafond de ta chambre.» Chérie? You-hou! Je t'attends, là. *(À la Louis Armstrong.)* «I see trees of green... red roses too/I watch 'em bloom... for me and for you/And I think to myself... what a wonderful world.» *(Il rit.)* T'aimes peut-être pas mes talents de chanteur? Ok, ok, je vas mettre de la vraie musique d'abord. Qu'est-ce que t'as le goût d'entendre? *(Il regarde les disques compacts.)* Miles Davis, Chet Baker, Jean-Pierre Ferland? *(Court temps.)* Hein? Qu'est-ce que t'as le goût d'entendre? *(Court temps.)* Bon, ben, je vas mettre du vieux Davis. Ok? *(Temps. On entend l'album «Ascenseur pour l'échafaud», de Miles Davis.)* Bon ben, j'ai faim, moi.

Il retourne à la cuisine et revient avec des carottes, trempettes et jus de tomate. Il allume des chandelles, installe une atmosphère romantique. Il s'assoit sur le divan, écoute la musique un moment. Il se lève, va à la porte de la salle de bain, écoute un moment contre la porte.

JEAN, *sexuel*

Hum... Je sens ton parfum... Dépêche-toi, j'en peux pus!

Il rit. Il éteint les lumière, ne reste plus que l'éclairage des chandelles. Il retourne s'asseoir.

JEAN

You-hou, chérie! Je t'attends! *(Temps.)* Chérie, qu'est-ce tu fais mon amour? *(Temps.)* Chérie? *(Jean se lève et cherche un peu partout.)* Bon, t'es cachée où, là? *(Il cherche toujours.)* You-hou? *(Temps.)* Y a quelqu'un? *(Pas de réponse, temps. Plus fort.)* Y a quelqu'un? *(Il se cogne contre une petite table, une lampe en tombe.)* Ayoye donc! Fait donc ben noir icitte aussi! *(Il ramasse la lampe tombée à ses pieds, la remet sur la table et l'allume, sans succès. Inquiet.)* Y a quelqu'un? *(Il s'assoit sur le divan. Il soupire.)* Qu'est-ce que j'ai fait...

Le Mort vient s'asseoir à côté de Jean. Deux phares d'automobile s'allument derrière eux. On commence à entendre le vrombissement d'un moteur.

LE MORT
J'avais une femme...

JEAN
J'avais une femme...

LE MORT
...Qui voulait me demander le divorce. 2 enfants... qui voulaient pus me parler. Pourquoi, c'est pas important. Ça arrive, c'est la vie.

JEAN
Ça arrive, c'est la vie.

LE MORT
Mais comme je suis mort... Plus personne se préoccupe vraiment de moi, hein.

On sonne à la porte. Le Mort fait un clin d'œil à Jean. On sonne encore. On frappe à la porte. On donne des coups. On entend le son d'une voiture qui roule vite, puis un bruit sourd d'impact. On entend la voiture accélérer. Noir.

Achevé d'imprimer en avril 2002
chez Ginette Nault et Daniel Beaucaire
Saint-Félix-de-Valois (Québec)